Lanfeust de Troy

TOME 2 ~ THANOS L'INCONGRU

SCÉNARIO
CHRISTOPHE ARLESTON

DESSIN
DIDIER TARQUIN

COULEURS
YVES LENCOT

TROY EST UN MONDE SURPRENANT ; GRÂCE AUX SAGES D'ECKMÜL QUI, JUSQU'AU FOND DE CHAQUE VILLAGE, RELAIENT LA FORCE DE LA MAGIE, CHAQUE INDIVIDU POSSÈDE UN, ET UN SEUL POUVOIR. CELUI-CI PEUT-ÊTRE ANODIN OU UTILE, RIDICULE OU REDOUTABLE.

LANFEUST PEUT D'UN REGARD FAIRE FONDRE LE MÉTAL. IL EST DONC DEVENU FORGERON. MAIS SA VIE EST BOULEVERSÉE DEPUIS LE JOUR OÙ IL A DÉCOUVERT QU'AU CONTACT D'UNE CERTAINE ÉPÉE À POMMEAU D'IVOIRE, IL PEUT POSSÉDER **TOUS** LES POUVOIRS, C'EST À DIRE **LE POUVOIR ABSOLU**. C'EST UN FAIT UNIQUE DANS L'HISTOIRE DE TROY.

CIXI ET **C'IAN** SONT LES DEUX FILLES DE NICOLÈDE. LA BRUNE CIXI EST UNE CHIPIE PROVOCANTE, DONT LE POUVOIR EST DE TRANSFORMER L'EAU EN GLACE OU EN VAPEUR. LA BLONDE ET DOUCE C'IAN, FIANCÉE DE LANFEUST PEUT GUÉRIR TOUTES LES BLESSURES UNE FOIS LA NUIT TOMBÉE.

MAÎTRE NICOLÈDE EST LE SAGE DU VILLAGE DONT LANFEUST EST ORIGINAIRE. IL A DÉCOUVERT QUE L'IVOIRE CONFÉRANT LE POUVOIR ABSOLU DE LANFEUST PROVIENT D'UN ANIMAL MYTHIQUE, LE MAGOHAMOTH. IL A DONC CONDUIT LANFEUST À ECKMÜL, LA CAPITALE, AFIN QUE LES ÉRUDITS, GARDIENS DE LA MAGIE, PUISSENT ÉTUDIER SON CAS.

HÉBUS EST UN REDOUTABLE TROLL, CRÉATURE SAUVAGE ET IMPITOYABLE HANTANT LES FORÊTS. MAIS LES ENCHANTEMENTS DE MAÎTRE NICOLÈDE ONT TRANSFORMÉ LA BÊTE FÉROCE EN UN JOYEUX COMPAGNON DONT LA FORCE EST APPRÉCIABLE. CEPENDANT CES ENCHANTEMENTS SONT PROVISOIRES, ET PEUVENT ÊTRE ROMPUS...

LE CHEVALIER OR-AZUR VIENT DES BARONNIES, UNE LOINTAINE PRESQU'ÎLE QUI REFUSE LA MAGIE ET OÙ LES CHÂTEAUX MÈNENT LES UNS CONTRE LES AUTRES DE PERPÉTUELLES GUERRES D'HONNEUR. IL POSSÈDE L'ÉPÉE AU CONTACT DE LAQUELLE LANFEUST DEVIENT L'HOMME LE PLUS PUISSANT DE TROY.

THANOS LE PIRATE AURAIT PU ÊTRE UN PUISSANT ÉRUDIT, MAIS IL A TRAHI ECKMÜL. IL POSSÈDE LE DON DE SE TÉLÉPORTER AUX ENDROITS QU'IL A DÉJÀ EU L'OCCASION DE VOIR ET DE MÉMORISER ET, COMME LANFEUST, À QUI IL S'OPPOSE, IL EST SENSIBLE AU POUVOIR DU MAGOHAMOTH.

Soleil Productions
247, avenue de la République
83000 Toulon - France

Bureaux parisiens
25, rue Titon - 75011 Paris - France

Conception et réalisation graphique : Studio Soleil

Dépôt légal avril 1995 - ISBN : 2 - 87764 - 306 - 9

Photogravure : Quadriscan - 04 - France
Imprimé et relié par *Partenaires-Livres® (JL) - France*

CITÉ DES SAGES, COEUR DES TERRITOIRES ENCHANTÉS DE TROY, ECKMÜL EST LA VILLE ÉTERNELLE.

ON Y ADMIRE LA DIVINE ARCHITECTURE DU CONSERVATOIRE OÙ SAVANTS ET ÉRUDITS TRAVAILLENT À MAINTENIR LE FLUX OCCULTE PERMETTANT À CHACUN D'USER DE SON POUVOIR MAGIQUE.

JE SAIS COMMENT ME DÉBARRASSER DE CE GROS BALOURD...

ON Y DÉGUSTE, DANS LES ÉCHOPES BARIOLÉES, DES CHARCUTERIES PIMENTÉES ET DES VINS PÉTILLANTS.

ON Y CROISE DE DRÔLES DE PERSONNAGES, PARFOIS ASSEZ IMPARFAITEMENT HUMAINS.

MILDIEUX! C'EST VRAI QUOI À LA FIN! ILS N'ONT AUCUN DROIT DE ME RETENIR DE FORCE!

C'EST GRAND, HEIN?

PEUH! LES SOMPTUEUX CHÂTEAUX DES BARONNIES BRILLENT D'UN ÉCLAT BIEN PLUS ÉTOURDISSANT!

JE POURRAIS VOUS NARRER QUELQUES ANECDOTES ASSEZ COCASSES...

MAIS QUE DIRIEZ-VOUS D'EN DISCUTER EN VIDANT UNE COUPE OU DEUX MON BRAVE HÉBUS?

HÉ! HÉ!

3

JE VAIS TE FAIRE BOIRE JUSQU'À CE QUE TU EN OUBLIES TON NOM, HORREUR VELUE!

FOI DE TROLL, VOILÀ UNE GRANDE IDÉE CHEVALIER OR AZUR!

OUGRFT!

SPO!

FROT! FROT!

MAIS NOUS NE BOIRONS QU'UNE PETITE GOUTTE, N'EST-CE PAS? MAÎTRE NICOLÈDE M'A BIEN RECOMMANDÉ DE VEILLER SUR VOUS ET SUR VOTRE PRÉCIEUSE ÉPÉE!

UN TROLL!

BIEN ENTENDU.

EUH... MESSIEURS?

UNE COUPE DE VIN DE MER.

UN TONNELET DE BIÈRE BIEN FRAÎCHE!

BROAF! AMENEZ TOUT DE SUITE DEUX TONNELETS, VOUS ÉVITEREZ DES DÉPLACEMENTS ULTÉRIEURS!

BIEN, BIEN...

LE MARCHÉ D'ECKMÜL EST ÉGALEMENT RÉPUTÉ POUR SES SOIERIES CHAMARRÉES, SES ROBES FINEMENT OURLÉES, ET SES DESSOUS AFFRIOLANTS.

C'EST JOLI, HEIN?

OH, ET ÇA!

TU AS VU COMME C'EST BRODÉ?

ET LE PETIT CARACO ROUGE, LÀ!

C'EST CHER!

OUI MAIS C'EST TELLEMENT MIGNON!

PFFF!

4

2

ÉH! LANFEUST! JE TE PLAIRAIS AVEC ÇA ?

EUH, BEAUCOUP CIXI, MAIS JE ...

... JE FERAIS PEUT-ÊTRE MIEUX DE REJOINDRE HÉBUS ET LE CHEVALIER QUI ...

ATTENDS UN PEU, TOI !

TU VOUDRAIS QUE JE PORTE DES TOILETTES AUSSI VULGAIRES ?!

MAIS JE NE VEUX RIEN ! C'EST TA SŒUR QUI ...

AH TU NE VEUX RIEN ! TU CROIS PEUT-ÊTRE QUE JE NE SUIS PAS SUFFISAMMENT BIEN FAITE POUR PORTER ÇA !

ATTENTION, VOILÀ PAPA !

MAÎTRE NICOLÈDE ! JE SUIS CONTENT DE VOUS VOIR !

VOUS TROUVEZ VOTRE BONHEUR, LES ENFANTS ?

EUH... OUI, PAPA.

C'EST JOLI, ÇA.

MAIS CE SERAIT PLUTÔT LE GENRE DE TA SŒUR.

HI! HI! HI!

ALORS ! VOUS AVEZ PU VOIR LES ÉRUDITS DU CONSERVATOIRE ?

BIEN SÛR ! JE SUIS MOI-MÊME SAGE D'ECKMÜL TOUT DE MÊME !

MARRE !!!

HI! HI! HI!

VLAN!

ILS ONT HÂTE DE TE RENCONTRER ET D'EXAMINER L'ÉPÉE DU CHEVALIER OR AZUR.

3

JUSTEMENT, AU MÊME INSTANT...

HA! CETTE FAMEUSE ÉPÉE! VOUS SOUVENEZ-VOUS DE LA FOIS OÙ JE L'AI BRISÉE D'UN COUP DE DENT? HUK! HUK! HUK! HUK!

AH! AH! QUELLE BONNE PLAISANTERIE!

LAP LAP

ENGLOUF!

MALEPESTE! CE DIABLE BEDONNANT NE SERA T-IL JAMAIS SAOUL?

SSHHLFFL...

ROOOTT!

OUPS!

S'CUSEZ!

WRAAM!!

LA NOBLESSE ET L'HONNEUR TRIOMPHENT UNE FOIS DE PLUS!

TCHIN TCHIN!!

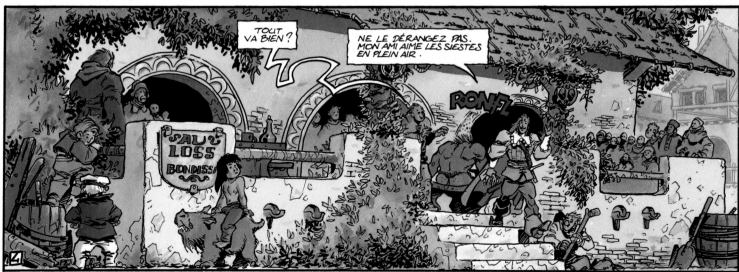

TOUT VA BIEN?

NE LE DÉRANGEZ PAS. MON AMI AIME LES SIESTES EN PLEIN AIR.

SAU? LOSS BONDISSA?

RONFL

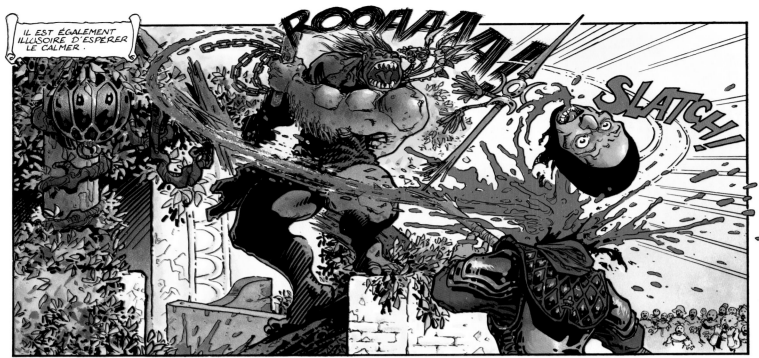

IL EST ÉGALEMENT ILLUSOIRE D'ESPÉRER LE CALMER.

ROOAAAA!!

SLATCH!

BRAAAA

HÉBUS!

CATACLYSME! L'ENCHANTEMENT EST ROMPU!

HÉ! LÀ!

NE POURRIEZ-VOUS PAS L'ENCHANTER DE NOUVEAU?

HÉLAS, JE SUIS IMPUISSANT TANT QU'IL N'EST PAS IMMOBILE.

HOLÀ!...

LAN... PFUUUST! BRAAAAA!!!

HAAYAAAA!!

VLAM

HÉBUS! JE NE VOUDRAIS PAS DEVOIR TE FAIRE MAL...

... MAIS JE VOUDRAIS ENCORE MOINS QUE TU M'EN FASSES!

SOUVIENS-TOI NOUS AVONS PASSÉ DE BONS MOMENTS...

HUK! HUK! HUK!

GRRRRAH

BROOO?

LANFEUST! ATTENTION!

N'Y A T-IL PERSONNE QUI POSSÈDE LE POUVOIR D'IMMOBILITÉ?

PLIC!

VOUS, MONSIEUR?

MOI? JE NE PEUX QUE CHANGER LE SENS DU VENT.

VOUS, MADEMOISELLE?

HÉLAS! MON POUVOIR EST DE PROVOQUER LA SOIF!

C'EST D'AILLEURS CE QUI M'A VALU CE TRAVAIL DE SERVEUSE.

PARFAIT!

MAIS...

VOUS ALLEZ LUI DONNER SOIF! TRÈS SOIF!!

FAITES CE QUE JE VOUS DIS!

9

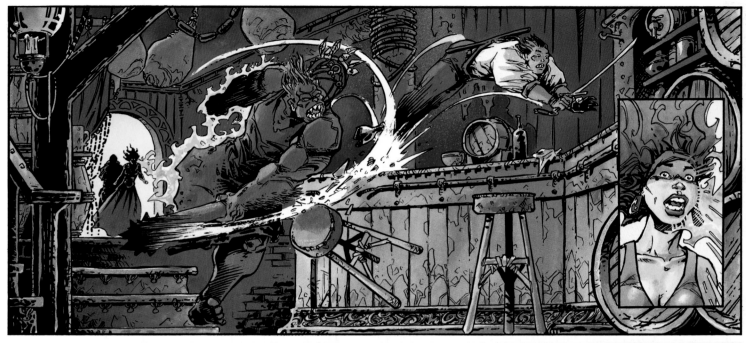

BOIRE...
BOIRE...

LANFEUST !
LES TONNEAUX !

BOAARR

GNNNN...

BRROOMM!!

SOAF
BOAR
BOAARR

NOM DE ...

NE CRAIGNEZ RIEN !

JE VAIS L'ENCHANTER ET IL REDEVIENDRA TOUT À FAIT CIVILISÉ.

C'EST FATIGANT DES AMIS COMME ÇA !

RONFL !

DITES DONC ! VOUS ME DEVEZ UNE SACRÉE ARDOISE POUR TOUS CES TONNELETS DE BIÈRE ET CES TONNEAUX DE BON VIN !

SANS PARLER DES DÉGÂTS !

RZZ

POURQUOI ? J'AI BU QUELQUE CHOSE ? J'AI CASSÉ QUELQUE CHOSE ?

NON, MAIS C'EST VOTRE AMI QUI ...!

VOUS DÉSIREZ QUE JE LE RÉVEILLE IMMÉDIATEMENT ? VOUS POURREZ LUI FAIRE PART DE VOS DOLÉANCES...

EUH... CE N'EST PAS NÉCESSAIRE.

ROZL!

ALORS LAISSEZ-MOI L'ENCHANTER EN PAIX.

TU AS ÉTÉ FORMIDABLE MON LANFEUST...

TU PEUX VENIR ICI UNE MINUTE ?

TU NE VAS TOUT DE MÊME PAS ALLER VOIR LES ÉRUDITS DANS CETTE TENUE !

J'AI REMARQUÉ UN TRÈS JOLI POURPOINT OCRE ET MAUVE QUI T'IRAIT TRÈS BIEN.

OCRE ET MAUVE ?!

HIN! HIN!..

QUE...?!?

CLAP! CLAP! CLAP! CLAP! CLAP!

GOTTFERDOM!

TAP! TAP!

ATTENTION! IL SE RÉVEILLE!

J'AI BIEN RIGOLÉ, MAIS IL ME RESTE UNE SACRÉE GUEULE DE BOIS !

TU PEUX LA NOYER DANS L'EAU DE VIE. MON NOUVEL ENCHANTEMENT RÉSISTE À L'ALCOOL.

DÉPÊCHONS-NOUS, LANFEUST A RENDEZ-VOUS AVEC LES ÉRUDITS.

TOUS DEHORS! RHAAAA! FUYONS! PLUS! PLUS!

LE CONSERVATOIRE, COEUR D'ECKMÜL, CLEF DE VOÛTE DU FLUX SPIRITUEL DE TROY, LIEU DE SAGESSE ET D'ENSEIGNEMENT, UNIVERSITÉ DE LA MAGIE...

PLUSIEURS CENTAINES DE POSTULANTS AUX ÉTUDES ARRIVENT CHAQUE ANNÉE DES VILLAGES LES PLUS LOINTAINS. MAIS LA SÉLECTION EST RIGOUREUSE, ET QUELQUES DIZAINES SEULEMENT SERONT ADMIS DANS LE LONG CYCLE D'APPRENTISSAGE QUI FERA D'EUX DES SAGES COMME NICOLÈDE.

QUELQUES-UNS, LES PLUS DOUÉS, POURSUIVRONT LEURS ÉTUDES JUSQU'À DEVENIR DES ÉRUDITS, GRANDS SAGES ET ENSEIGNANTS, MAÎTRES DE LA MAGIE.

PRRRFFI HI HI!

UN PEU DE SÉRIEUX, LES ENFANTS!

HI! HI! HI! HI! HI!

HOK! HOK! HOK!

DÉSOLÉE PÈRE, MAIS... PFFRRTT HI! HI! HI! HI! HI!

IGNORE-LES LANFEUST. TU ES TRÈS ÉLÉGANT!

ALLONS! HÂTONS-NOUS!

UN INSTANT!

TAP!

VOUS ÊTES BIEN LE SAGE NICOLÈDE DE GLININ?

OUI, NOUS SOMMES ATTENDUS PAR

CE TROLL EST DE VOS AMIS?

GRUMF?!

OH, IL N'EST PAS DANGEREUX, IL EST ENCHANTÉ.

HÉ! HÉ! HÉ!

HÉBUS, DIS BONJOUR À CES MESSIEURS...

... POLIMENT.

AU CŒUR DU CONSERVATOIRE, TROIS ÉRUDITS PARMI LES PLUS INFLUENTS FORMENT LE CONSEIL RESTREINT, VÉRITABLE INSTANCE DIRIGEANTE D'ECKMÜL.

LE VÉNÉRABLE **LIGNOLE** EN FAIT PARTIE DEPUIS DES DÉCENNIES, ON PEUT LE CROIRE USÉ PAR LE TEMPS, MAIS IL N'A RIEN PERDU DE SA SUBTILITÉ ET AIME À LAISSER CROIRE QU'IL EST GÂTEUX.

BEAUCOUP PLUS FOUGUEUX, L'ÉRUDIT **BASCRÉAN** EST UN HOMME DYNAMIQUE, QUE L'ON DIT MÊME AMBITIEUX.

PLOMYNTHE, ENFIN, FORCE LE RESPECT PAR SON CALME ET SA MODÉRATION EN TOUTES CHOSES. SES DÉTRACTEURS LE DISENT LÂCHE, LUI SE CONSIDÈRE COMME FLEGMATIQUE.

LIGNOLE

BASCRÉAN

PLOMYNTHE

VOICI DONC LE JEUNE LANFEUST DONT NICOLÈDE NOUS A TANT PARLÉ...

VÉNÉRABLES ÉRUDITS...

JE VOUDRAIS PLAIDER LA CAUSE DE MON AMI HÉBUS LE TROLL QUI...

N'AIE CRAINTE !

JE DOUTE QU'AUCUN GARDE N'AIT PU LUI FAIRE DU MAL, ET IL COURT SANS DOUTE DÉJÀ DANS LA MONTAGNE.

NE PARLONS PLUS DE TON PASSÉ, MAIS DE TON AVENIR, LANFEUST.

NICOLÈDE PRÉTEND AVOIR TROUVÉ UN FRAGMENT D'IVOIRE DU MAGOHAMOTH, ET CHOSE ENCORE PLUS SURPRENANTE...

... LE CONTACT AVEC CET IVOIRE TE CONFÉRERAIT LE POUVOIR ABSOLU ?

C'EST QUE...

EST-CE VRAI, OUI OU NON ?

C'EST VRAI.

HÉLAS, NOUS AVONS PERDU L'ÉPÉE OÙ ÉTAIT INCRUSTÉ CE FRAGMENT D'IVOIRE !

CELA SIGNIFIE T-IL QUE TU NE PEUX RIEN NOUS MONTRER DE TES POUVOIRS ?

JE LE CRAINS...

J'EN ÉTAIS SÛR ! LE POUVOIR ABSOLU ? IMPOSSIBLE ! SUPERCHERIE ! NOUS PERDONS NOTRE TEMPS !

COMMENT SAVOIR ?

PLOMYNTHE, NOUS POURRIONS PRÉSENTER CE JEUNE HOMME À LA RESPIRATION...

HUM, HUM...

ET S'IL LA BRISAIT ? LA RESPIRATION EST FRAGILE !

NE SOYEZ PAS STUPIDE, BASCREAN.

LA RESPIRATION ?

UNE PRÉCIEUSE RELIQUE ; UN PEU D'AIR D'UNE RESPIRATION DU MAGOHAMOTH FUT AUTREFOIS ENCHÂSSÉ DANS UN GLOBE DE CRISTAL.

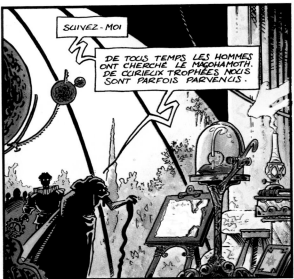

SUIVEZ-MOI

DE TOUS TEMPS LES HOMMES ONT CHERCHÉ LE MAGOHAMOTH. DE CURIEUX TROPHÉES NOUS SONT PARFOIS PARVENUS.

PRENDS CE GLOBE DANS TES MAINS, LANFEUST.

OH ! ÇA CHATOUILLE !

C'EST RIGOLO, TOUTES CES COULEURS.

ÉTONNANT ! COMME **THANOS** !

INCROYABLE !

C'EST BIEN CE QUE JE PENSAIS.

16

MON JEUNE AMI, IL SEMBLE EN EFFET QUE TU POSSÈDES UNE CERTAINE... **AFFINITÉ** AVEC LE MAGOHAMOTH.

IL M'AVAIT BIEN SEMBLÉ REMARQUER QUELQUE CHOSE DANS CE GENRE LÀ.

SAGE NICOLÈDE, VOTRE PROTÉGÉ RESTERA À ECKMÜL, EN QUALITÉ D'ÉLÈVE AU CONSERVATOIRE...

... ET DE SUJET D'ÉTUDES POUR LES ÉRUDITS.

VOTRE TÂCHE EST ACCOMPLIE, VOUS POUVEZ RENTRER À GLININ.

MERCI, ÉRUDIT LIGNOLE.

TAP! TAP!

ÉLÈVE LANFEUST, TU TE PRÉSENTERAS CE SOIR AU MAÎTRE D'INTERNAT. IL T'AFFECTERA UNE CELLULE.

TÂCHE DE TROUVER DES VÊTEMENTS CORRECTS, CE POURPOINT OCRE ET MAUVE EST RIDICULE.

ALORS, QU'EN PENSEZ-VOUS?

JE N'AIME PAS ÇA!

LA RESPIRATION L'A RECONNU. SON HISTOIRE D'ÉPÉE EST SANS DOUTE EXACTE.

UN TEL POUVOIR EST UN DANGER POUR NOTRE CIVILISATION.

LANFEUST PEUT DEVENIR UN TYRAN ET ASSERVIR ECKMÜL!

LE RISQUE EST TROP GRAND. C'EST TRAGIQUE ET CONTRAIRE À NOTRE ÉTHIQUE, MAIS ... IL FAUT ÉLIMINER LANFEUST!

PLOMYNTHE?

LE MEURTRE EST UNE CHOSE RÉPUGNANTE. ET LANFEUST N'A PLUS SON ÉPÉE.

GLOUT GLOUT

J'AIMERAIS AVOIR UN APERÇU DES ALTERNATIVES DU DESTIN DE CE GARÇON. ON DIT QU'UN HARUSPICE A OUVERT BOUTIQUE SUR LE MARCHÉ. IL POURRAIT NOUS ÉCLAIRER...

CET ESCROC?

IL ABUSE DE LA CRÉDULITÉ DES NAÏFS! LIRE L'AVENIR DANS LES ENTRAILLES DE DÉPOUILLES PUTRÉFIÉES! PFF! QUANT À SES PRÉVISIONS, ELLES SONT ABSURDES.

JE VOIS QUE VOUS L'AVEZ DÉJÀ CONSULTÉ, BASCRÉAN. JE LE CONVOQUERAI CETTE SEMAINE.

LE PORT D'ECKMÜL EST LE CŒUR DU TRAFIC MARITIME DE TROY. ON Y TROUVE TOUJOURS DES NAVIRES EN PARTANCE POUR LES DESTINATIONS LES PLUS LOINTAINES...

... ET DES GENS QUI ONT HORREUR DES ADIEUX.

DÉPÊCHEZ-VOUS ! ON APPAREILLE !

RÉUSSIS DE BRILLANTES ÉTUDES, LANFEUST, LE VILLAGE DE GLININ SERA FIER DE TOI.

LANFEUST, JE VOULAIS TE DIRE...

OUI, CIXI ?

HÉÉÉÉMMM !!

MMMMMM !!

HI! HI! HI!

DIS DONC ! CIXI !!

SOIS UN PEU MOINS FAMILIÈRE AVEC MON FIANCÉ !

PFF ! IL A PAS DIT NON ! IL A MÊME MIS LA LANGUE !

C'EST PAS VRAI !

QUANT À TOI ...

ELLE M'A GRIFFÉ !

S'IL FAISAIT NUIT, MON POUVOIR POURRAIT TE SOIGNER, MAIS APRÈS TOUT...

... LES BALAFRES DONNENT DU CHARME AUX AVENTURIERS !

SERRE-MOI FORT ET
PROMETS DE ME
REJOINDRE VITE,
LANFEUST.

PFFT!...

LES ÉTUDES SONT
LONGUES, C'IAN.

JE T'ATTENDRAI.
À TON RETOUR, TU
SERAS UN SAGE
ET TU TRAVAILLERAS
AVEC PAPA. NOUS
NOUS MARIERONS...

... ET VOUS AUREZ UNE
CHAUMIÈRE MINABLE, UNE
PORTÉE DE MARMOTS
BRAILLARDS...

BÈÈRK!

EH, LES FILLES!
VOUS VOULEZ
REJOINDRE LE
BATEAU À LA
NAGE?

ÇA VA!
ON ARRIVE!

SOIS UN ÉLÈVE ATTENTIF,
LANFEUST. ÉCOUTE
TOUJOURS LES CONSEILS
DES ÉRUDITS.

OUI, MAÎTRE
NICOLÈDE.

N'EMPÊCHE QUE J'AURAIS
BIEN AIMÉ RESTER
FORGERON.

LANFEUST S'INSTALLA DANS
LA ROUTINE DU CONSERVATOIRE...

IL N'EST PAS FACILE, LORSQU'ON
VIENT DE QUITTER SON VILLAGE, DE
SE RETROUVER SEUL ET SANS AMIS
PARMI LA MASSE BOURDONNANTE
DES ÉTUDIANTS.

IL PARLE DRÔLEMENT
VITE! C'EST DIFFICILE
DE TOUT NOTER!

PFFT! PAYSAN!

LE COURS EST TERMINÉ!
POUR DEMAIN, PRÉPAREZ
VOS EXERCICES SUR LES
HUIT ENCHANTEMENTS
MAJEURS!

LANFEUST!

?

VENEZ À MOI FORCES DES SIÈÈÈCLES !

KARKAXIÈCLE !

OBSCURS ALIGUGUGURES !

KARKAXOGUR !

TEMPÊTES ULTIIIIMES DES EONS DÉCHAÎNÉS !

KARKAXAINÉ !

SOUFFLES TÉNÉBREUX DES SECRRRRETS DU DESSSSTIN !

TAGADATSOINTSOIN.

SRIIIIIK !

KARKAXESTIN !

C'EST ÇA, C'EST CE QUE J'AI DIT.

MAINTENANT, SI VOUS POUVIEZ NOUS OFFRIR UNE VERSION UN PEU PLUS AUSTÈRE...

VOUS CROYEZ ?

D'HABITUDE LES CLIENTS AIMENT BIEN MES EFFETS ÇA MET DE L'AMBIANCE...

... ET ÇA JUSTIFIE MES HONORAIRES.

NOUS NE SOMMES PAS DE CRÉDULES MARCHANDS DE LÉGUMES.

KARKAXAGUME !

COMME VOUS VOULEZ. BON VOYONS ÇA...

...MMHH...

L'AVENIR EST ÉCRIT LÀ DEDANS ?

NE RESTE PAS LÀ MON GARÇON. J'AI HORREUR QU'ON LISE PAR DESSUS MON ÉPAULE !

ALORS, QUE VOYEZ-VOUS ?!

RIEN...

ABSOLUMENT RIEN, ÉRUDIT BASCRÉAN.

JE VAIS DEVOIR SACRIFIER UN ANIMAL PLUS GROS.

21

EXCELLENT MOYEN DE TRANSPORT, LE PÉTAURE EST AUSSI L'UNE DES PLUS IMPOSANTES CRÉATURES QUE L'ON PUISSE CROISER À LA SURFACE DE TROY.

GRIIIKK!!!

JE CROYAIS QUE TU N'AVAIS PAS MANGÉ?

DIRE QUE POUR LA PLUPART DES HOMMES UN RAT SUFFIT...

HOC!... JUSTEMENT, HOC!... C'EST ENCORE PIRE, HOC!...

BLEAAP

FANTASTIQUE! TOUT EST LÀ! LANFEUST, JE VOIS QUE **TON CERVEAU EST DIFFÉRENT**...

POUR LES ASTRES, TU ES L'HOMME LE PLUS IMPORTANT DE CETTE PLANÈTE!

C'EST **LE SORT DE LA MAGIE SUR TROY** QUI EST EN JEU. TU AS UN **ADVERSAIRE**, MAIS IL IGNORE ENCORE SA PROPRE PUISSANCE...

LA PARTIE COMMENCERA LORSQU'IL BOUGERA LE PREMIER PION...

JE VOIS QU'UNE **ÉPÉE** MENACE ECKMÜL... ELLE RISQUE DE **TUER LE MAGOHAMOTH** LUI-MÊME!

TOUT ICI N'EST QUE TRAÎTRISE ET DÉSESPOIR... LA QUÊTE EST LONGUE...

LE MAGOHAMOTH TE DONNE LA FORCE DE L'AIDER. RETROUVE L'ÉPÉE, ELLE TE GUIDERA À LUI.

SPLOCH

SPLACH

COMMENT PEUX-TU VOIR CES CHOSES LÀ OÙ IL N'Y A QU'UNE MONTAGNE DE TRIPES SANGLANTES?

CEUX QUI N'ONT PAS MON DON SONT AVEUGLES À LA DESTINÉE...

... ET LÀ C'EST ÉCRIT GROS, POURTANT!

21

VÉNÉRABLE LIGNOLE! SI CE QUE DIT CET ÉVENTREUR EST VRAI, LANFEUST DOIT ÊTRE SURVEILLÉ.

IL MET LA VIE DU MAGOHAMOTH EN DANGER!

CE N'EST PAS CE QUE J'AI COMPRIS.

TIENS! QU'EST-CE DONC?...

?

UNE HISTOIRE QUI CONCERNE NOTRE JEUNE AMI PUISQU'ELLE EST ÉCRITE ICI!... POURTANT JE NE L'Y VOIS PAS!

QUELQUECHOSE DE GRAVE?

DIFFICILE À DIRE.

DE QUOI S'AGIT-IL?

UN BATEAU? QUI EST À BORD?

UN BATEAU EST ASSAILLI PAR DES PIRATES.

SPLICH SPLACH SPLICH

C'EST UN PEU FLOU!... DES HOMMES COMBATTENT... DU SANG!...

UNE JEUNE FILLE BLONDE SE DÉBAT!... LES PIRATES SEMBLENT AVOIR LE DESSUS!...

IL Y A UN VIEILLARD, UN SAGE D'ECKMÜL!... MAIS L'ÉQUIPAGE EST PERDU!...

24

LE CHEF DES FORBANS EST UN HOMME AU VISAGE NOBLE MAIS IMPITOYABLE... IL EST JEUNE MAIS SES CHEVEUX SONT BLANCS... IL EST TERRIFIANT!

THANOS!

THANOS A ENCORE FRAPPÉ! MALDIT!

LE VIEUX SAGE ET LES FILLES, QUE DEVIENNENT-ILS?

DÉSOLÉ, ÇA S'ARRÊTE LÀ.

C'ÉTAIT LE BATEAU QUI RAMENAIT MES AMIS À GLININ, N'EST CE PAS?

MÊME LES PLUS AFFLIGEANTES DES ANECDOTES NE DOIVENT PAS TE DÉTOURNER DE TON VÉRITABLE DESTIN, LANFEUST.

VA NOUS ATTENDRE DANS LA BIBLIOTHÈQUE. NOUS DEVONS PARLER

C'IAN... NICOLÈDE... CIXI... PERDUS À JAMAIS...

VOICI VOS GAGES MON BON.

J'AI RETENU UNE PETITE RÉDUCTION PUISQUE NOUS VOUS AVONS ÉPARGNÉ LA PEINE DE DÉCLAMER VOS EFFETS DE STYLE.

VIEUX GRIGOU!

QUE VOUS INSPIRE TOUT CECI, PLOMYNTHE?

MA FOI... L'AFFAIRE EST COMPLEXE...

TOUT EST SIMPLE! CE LANFEUST EST UN DANGEREUX TRUBLION! IL FAUT LE NEUTRALISER!

BASCRÉAN, VOTRE IMPÉTUOSITÉ M'ÉTONNERA TOUJOURS! QU'AVEZ-VOUS CONTRE LANFEUST?

IL EST DE LA MÊME RACE QUE THANOS. LA RESPIRATION NOUS L'A PROUVÉ.

JE CROIS POUR MA PART QUE CE JEUNE HOMME SERA LE SAUVEUR D'ECKMÜL.

LIGNOLE EST DEVENU SÉNILE.

BASCRÉAN, C'EST TOI QUI SAUVERA ECKMÜL... EN NOUS PROTÉGEANT DE LANFEUST.

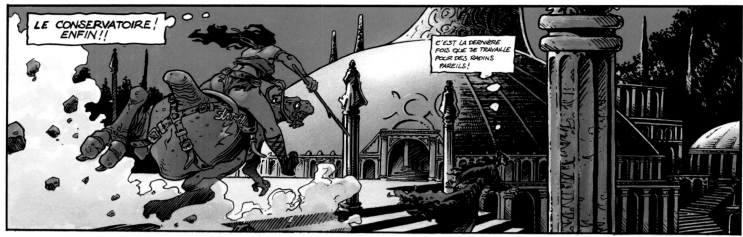

LE CONSERVATOIRE! ENFIN!!

C'EST LA DERNIÈRE FOIS QUE JE TRAVAILLE POUR DES RADINS PAREILS!

AYAAAA!!

HÉ LÀ! ARRÊTEZ-VOUS!!

PLACE! PLACE!

TROT TROT TROT

VLARF

QU'EST-CE QUE?...

OUCH!!

ÉH, LES VIEUX! VOUS SAVEZ OÙ JE PEUX TROUVER UN ÉTUDIANT QUI S'APPELLE LANFEUST?

QUI ÊTES...

EN HAUT À LA BIBLIOTHÈQUE.

C'EST INOUI! VOUS LUI RÉPONDEZ! NOUS NE SAVONS MÊME PAS QUI ELLE EST.

JE CROIS QUE SI.

VITE!

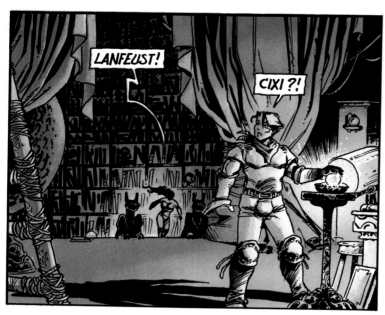

LANFEUST!

CIXI ?!

TU DOIS VENIR! PAPA ET C'IAN ON ÉTÉ ENLEVÉS PAR DES PIRATES!

ALORS C'ÉTAIT VRAI!

COMMENT T'ES-TU ÉCHAPPÉE ?

JE NAGE CONVENABLEMENT.

LE CHEF DE CES FORBANS SE FAISAIT-IL APPELER **THANOS** ?

ALORS L'HARUSPICE AVAIT RAISON. LE PREMIER PION A BOUGÉ.

LA PARTIE A COMMENCÉ!

EUH... OUI.

VÉNÉRABLE ÉRUDIT, JE

NOUS CONNAISSONS AVEC CERTITUDE TON ADVERSAIRE. MAINTENANT, RESTE À DÉFINIR UNE STRATÉGIE.

QUI EST CE THANOS ?

UN HOMME REDOUTABLE. IL FUT LE PLUS DOUÉ DE MES ÉLÈVES. IL DEVINT UN ÉRUDIT ET SIÉGEA ENTRE PLOMYNTHE ET MOI.

MAIS IL ÉTAIT AVIDE DE POUVOIR ET IL VOULUT NOUS TUER POUR RÉGNER SEUL SUR ECKMÜL.

NOUS DÉJOUÂMES SON COMPLOT ET IL PRIT LA FUITE ; IL A LE POUVOIR DE SE TÉLÉPORTER OÙ BON LUI SEMBLE.

SON FRÈRE PRIT SA PLACE AU CONSEIL.

MOINS BRILLANT MAIS PLUS FIDÈLE À ECKMÜL.

C'EST BASCREAN.

VÉNÉRABLE LIGNOLE NOUS DEVONS RÉFLÉCHIR À CETTE AFFAIRE. THANOS EST UN ADVERSAIRE DE TAILLE.

SI VOUS LE DÉSIREZ PLOMYNTHE...

ATTENDS-NOUS ICI, LANFEUST!

ENCORE ATTENDRE!

LANFEUST IL FAUT FAIRE VITE! PAPA ET C'IAN VONT PEUT-ÊTRE MOURIR.

TU AS RAISON! J'EN AI ASSEZ ; À CHAQUE FOIS QU'IL SE PASSE QUELQUE CHOSE, ILS SE RETIRENT POUR FAIRE DES MESSES BASSES ENTRE EUX!

CHUCHOTE CHUCHOTE

ILS NE FONT PAS ATTENTION À NOUS! ON FILE!

PUISQUE JE N'AI PLUS L'ÉPÉE, JE GARDE LA RESPIRATION.

METTRE LE SORT D'ECKMÜL ENTRE LES MAINS DE CET ENFANT?!

C'EST NOTRE SEULE CHANCE.

LE GRAND ÂGE AFFECTE VOTRE JUGEMENT! LANFEUST EST JUSTEMENT LE DANGER QUI NOUS MENACE.

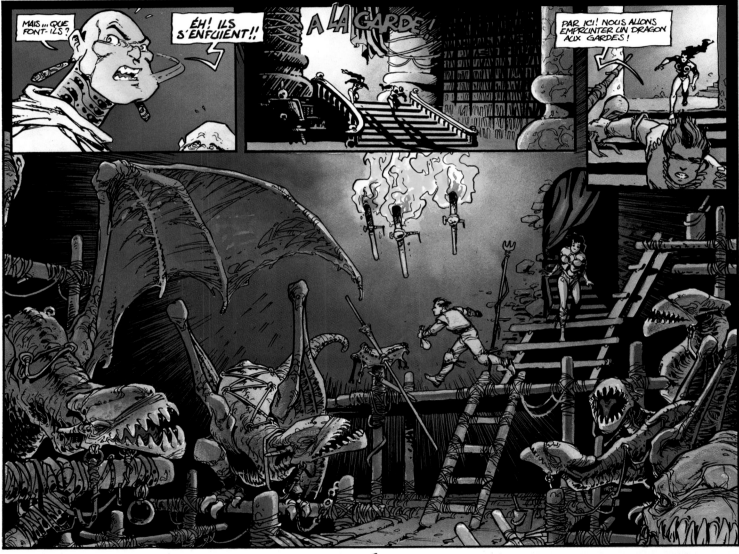

MAIS... QUE FONT-ILS?

ÉH! ILS S'ENFUIENT!!

A LA GARDE!

PAR ICI! NOUS ALLONS EMPRUNTER UN DRAGON AUX GARDES!

A LA GARDE!
A LA GARDE!

28

SALETÉ ! IL REFUSE D'ALLER DROIT !

TU AS ESSAYÉ DE TIRER LÀ DESSUS ?

HÉÉÉ ! LÂCHE ÇA TOUT DE SUITE !

DE JUSTESSE !

HÉ ! QU'EST-CE QUE C'EST QUE ÇA ?

NOM D'UNE ENCLUME ! ILS NOUS POURSUIVENT !

LES VOILA !

ESSAYEZ D'ÉPARGNER LE DRAGON, ECKMÜL PRÉFÈRE ACHETER DES LIVRES QUE DES MONTURES.

LANFEUST ! ILS NOUS RATTRAPENT !

28

À DEUX SUR LA MÊME BÊTE, IMPOSSIBLE DE LES DISTANCER.

BASCRÉAN, SI LANFEUST MEURT JE DEMANDERAI À L'HARUSPICE DE LIRE L'AVENIR D'ECKMÜL DANS VOS ENTRAILLES !

NOTRE SEUL ESPOIR EST DE FAIRE FRONT !

CHAAAARGE !!

YAHAA !!

OUCH !

LEURS LANCES SONT EN MÉTAL ... LES ATTACHES DE SELLE AUSSI ...

JE VAIS POUVOIR JOUER AU FORGERON !

FSHHN

FSHHH

FSHH

LANFEUST ! ATTENTION !

HÉ ! HÉ ! HÉ !

SPLANT YA!

VARK!

MMOOONN

MAAAAAARG!

YAHOU!

ON EST PASSÉ!

HO, NON!

UNE AUTRE ESCADRILLE!

NOUS NE POUVONS PAS AFFRONTER TOUS LES DRAGONS D'ECKMÜL.

DESCENDS AU RAS DE LA MER! ON VA SE CACHER DANS LE BROUILLARD.

QUEL BROUILLARD?

UN BON DRAGON DE CHASSE PEUT COUVRIR EN QUELQUES HEURES UNE DISTANCE QU'UN PÉTAURE METTRAIT PLUSIEURS JOURS À PARCOURIR.

C'EST ENCORE LOIN ?

JE NE CROIS PAS.

LORSQUE J'AI SAUTÉ DU BATEAU, LES PIRATES ALLAIENT ABORDER UNE PETITE ÎLE TOUT PRÈT DE LA CÔTE...

LÀ-BAS !

C'EST L'ÎLE !

IIIRK !

HÉ LÀ !

LE DRAGON REFUSE DE LA SURVOLER. UN PIRATE DOIT GÉNÉRER UN CHAMP RÉPULSIF.

ABORDE SUR LA PLAGE. À MARÉE BASSE, ON PEUT ATTEINDRE L'ÎLE À PIED SEC.

IL VAUT MIEUX ATTERRIR DANS LES BOIS. ILS ONT SANS DOUTE DES GUETTEURS.

FLAP
FLAP

C'EST ENNUYEUX ! LA MARÉE EST BASSE LE JOUR ET HAUTE LA NUIT.

HÉBUS! IL EST REDEVENU SAUVAGE!

GGRRROOO

CIXI! L'ÉPÉE, VITE!

WAF WAF WA HUK HUK HUK HUK

MAIS... IL A L'AIR BIZARRE, NON?

JE CROIS SURTOUT QU'IL SE MOQUE DE NOUS!

SI VOUS AVIEZ VU VOS TÊTES! HUK! HUK! HUK!

TU PARLES DE HÉROS! HAK! HAK!

JE DÉTESTE L'HUMOUR DES TROLLS!...

FAIRE PEUR AUX JEUNES FILLES!

PFFF...

ÏRK?

J'AI L'ESTOMAC QUI GARGOUILLE. VOUS N'EN AVEZ PLUS BESOIN?

EUH... NON.

MAIS COMMENT ES-TU ARRIVÉ ICI?

OH! C'EST TRÈS SIMPLE.

L'ENCHANTEMENT QUI ME LIE À NICOLÈDE EST TRÈS PUISSANT.

J'AI ÉTÉ ATTIRÉ ICI PAR LA MAGIE

SPROI

CHA FAIT DEUX CHOURS QUE J'OBCHERVE LES LIEUX. LE BRAS DE MER ENTRE L'ÎLE ET LA CÔTE EST INFECHTÉ DE PIEUVRES À BEC CORNÉ.

CHOMP! CHOMP!

ON PENSAIT TRAVERSER À PIED, À MARÉE BASSE...

IMPOCHIBLE! LES MONCHTRES CHE DORENT AU CHOLEIL CHUR LES PIERRES, OU BARBOTENT DANS LES TROUS D'EAU.

CH'AI TAILLÉ UNE PIROGUE DANS UN BOUT DE BOIS. CHE COMPTAIS TENTER LE COUP JUCHTE AVANT LE LEVER DU JOUR, À MARÉE HAUTE.

33

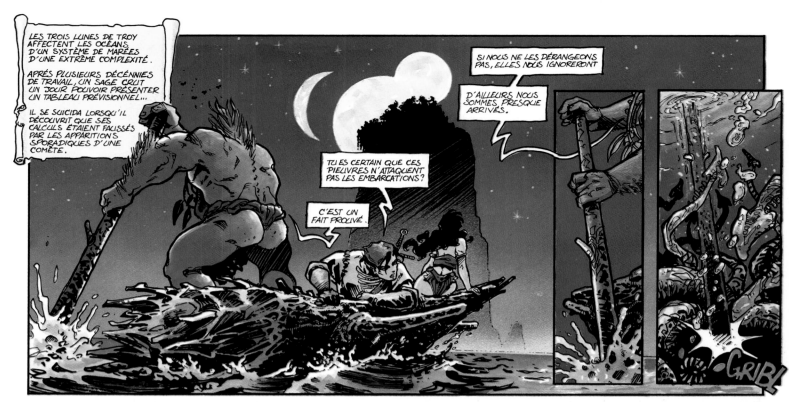

C'EST BIEN CIXI! CONTINUE! COURAGE!

ÉH! ELLE VA TOURNER DE L'OEIL!

ELLE S'EST VIDÉE DE SON ÉNERGIE! PORTE-LA!

OUAIP, VAUT MIEUX FILER AVANT LE PRINTEMPS, SI ON NE VEUT PAS SE MOUILLER LES POILS!

J'ESPÈRE QU'ON A PAS ÉTÉ ENTENDUS DEPUIS L'ÎLE!

LES PIRATES DOIVENT SE CROIRE À L'ABRI.

AVEC LE RAFFUT QU'ON A FAIT! C'EST À CROIRE QUE CE CAILLOU EST DÉSERT!

IMPOSSIBLE. L'ENCHANTEMENT M'ATTIRE PAR ICI.

RRAANA! HA! HA!

HÉ! HÉ!

NOM DE !!!

ÉÉÉHH!

HÉ! HÉ!

SI VOUS CROYEZ QUE TROIS BOUTS DE FICELLE VONT ME RETENIR!

À TOI, LA GRATTE!

CE MONSTRE VA AVOIR ENVIE DE S'ARRACHER LES POILS ET LA PEAU!

QU'EST-CE QUI T'ARRIVE ?

RGNN !...

ÇA DÉMANGE !!
ARRÊTEZ !
C'EST ATROCE !

ENFILE CES BRACELETS, NID À MORPIONS !

QUANT À TOI TU PORTERAS LA FILLE !

GRAT GRAT

LES MALHEUREUX QUI ONT LE POUVOIR DE PROVOQUER DES DÉMANGEAISONS ATROCES, SONT RAREMENT APPRÉCIÉS DE LEURS CONTEMPORAINS. DANS LES VILLAGES LOINTAINS, IL ARRIVE PARFOIS QU'ILS SOIENT LAPIDÉS. CERTAINS PARVIENNENT À S'ENFUIR ET À REJOINDRE DES BANDES DE HORS-LA-LOI.

ON T'AVAIT REPÉRÉ DEPUIS HIER, BOULE DE POILS ! MAIS ON NE S'ATTENDAIT PAS À CE QUE TU NOUS RAMÈNES EN PRIME DEUX BEAUX ESCLAVES !

MIGNONS COMME ILS SONT, ILS VAUDRONT DES SOUS !

OUAIP, FAUDRA PAS TROP LES ABÎMER.

C'EST PAS JUSTE ! POURQUOI ON A LE DROIT DE VIOLER QUE LES MOCHES ?

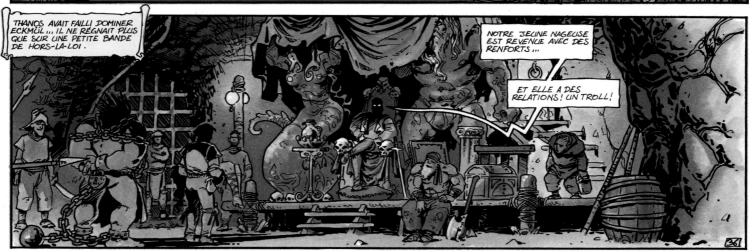

THANOS AVAIT FAILLI DOMINER ECKMÜL... IL NE RÉGNAIT PLUS QUE SUR UNE PETITE BANDE DE HORS-LA-LOI.

NOTRE JEUNE NAGEUSE EST REVENUE AVEC DES RENFORTS...

ET ELLE A DES RELATIONS ! UN TROLL !

CE TROLL, JE VAIS L'ENCHANTER POUR MON COMPTE. IL FERA UN EXCELLENT COMPAGNON D'ARMES.

JE TE DÉVORERAI AVANT, CROTTE DE NEZ!

GRRR

QU'AVEZ-VOUS FAIT DE C'IAN ET NICOLÈDE, FORBAN!

LE SAGE ET LA BLONDE? AH! AH! AH!

POUR QU'UN PROSCRIT PUISSE À LOISIR EXERCER SES POUVOIRS, LA PROXIMITÉ D'UN SAGE EN CAPTIVITÉ EST UNE BONNE CHOSE...

LES FILLES ET TOI ME RAPPORTEREZ UN BON PRIX SUR LES MARCHÉS D'ORIENT.

VÉRIFIEZ QU'ILS N'ONT PLUS D'ARMES ET ENFERMEZ-LES AVEC LES AUTRES. LE TROLL DANS LA CELLULE SPÉCIALE.

PAR LÀ ET SOIS SAGE! LA GRATTE T'A À L'OEIL!

TIENS?

QU'EST CE QUE C'EST QUE ÇA?

LA RESPIRATION!

RENDS-MOI ÇA, BOUSE DE SHRINK!

BAF!

NGG

MILLE DRAGONS ÉDENTÉS! C'EST IMPOSSIBLE! LA RESPIRATION TE PARLE COMME À MOI! TU L'AS VOLÉE AU CONSERVATOIRE N'EST-CE PAS?

FRELUQUET TU VAS ME DIRE POURQUOI TU AS CET OBJET, ET CE QUE TU AS À VOIR AVEC LE MAGOHAMOTH!

JAMAIS!

WOUFCH!

39

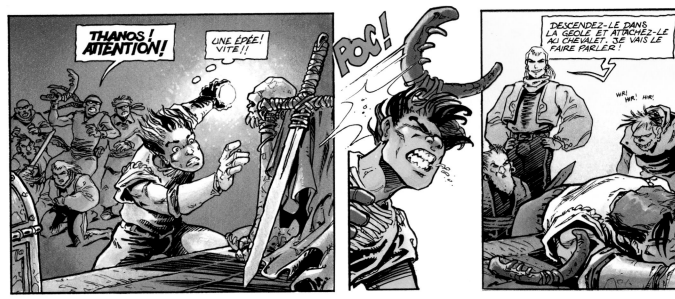

THANOS! ATTENTION!

UNE ÉPÉE! VITE!!

POC!

DESCENDEZ-LE DANS LA GEÔLE ET ATTACHEZ-LE AU CHEVALET. JE VAIS LE FAIRE PARLER!

HIR! HIR! HIR!

GRUMF!

CIXI! LANFEUST!

QUE LEUR AVEZ-VOUS FAIT, MONSTRE!!

MMH!...

RIEN ENCORE, BELLE ENFANT. NOUS ALLONS COMMENCER.

SOYEZ ATTENTIFS. LE SPECTACLE SERA CERTAINEMENT ÉDIFIANT. JE SUIS UN BOURREAU DE TALENT. JE PEUX LE FAIRE SOUFFRIR DES HEURES SANS LE TUER.

VOUS NE ME FAITES PAS PEUR! VOUS N'ÊTES QU'UN FORBAN! UN ASSASSIN! UN DÉGÉNÉRÉ!

INUTILE, JE NE SUIS PAS SENSIBLE À LA FLATTERIE.

MAINTENANT, TU VAS ME DIRE CE QUE TU SAIS DU MAGOHAMOTH!

RGNNNN!... RIEN À FAIRE CETTE CAGE EST TROP SOLIDE!

PARLE AVANT QUE JE NE TRANCHE TES CORDES VOCALES UNE À UNE!

TU ME SUPPLIERAS DE T'ACHEVER BIEN AVANT DE T'ÊTRE VIDÉ DE TON SANG, FRELUQUET!

AAAAAA

38

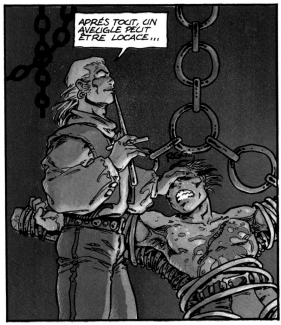

APRÈS TOUT, UN AVEUGLE PEUT ÊTRE LOCACE...

FSHHHH!

ÉHHH! SALETÉ!

HA! HA!

C'EST DONC ÇA TON PETIT POUVOIR, VERMINE? UN VULGAIRE DON DE FORGERON!

KOGN!!

L'IVOIRE EST MOINS TRANCHANT QUE LE MÉTAL, MAIS L'EFFET N'EN SERA QUE PLUS DOULOUREUX!

RAAAAH!

IL FAUT TENIR! SOIS COURAGEUX, MON LANFEUST!

LANFEUST, TES YEUX! NOOON!!

ACI SECOND!

J'AI HORREUR DES BORGNES!

RAAHAAAA!

SHPLOG

TU AS L'AIR DE TENIR À LUI, PETITE!

LAISSEZ-LE JE VAIS TOUT VOUS DIRE.

CIXI! NON!!

MA FILLE! TU NE TE RENDS PAS COMPTE!

SI CE MONSTRE APPREND... ECKMÜL EST PERDUE!

SI J'EXERCE MES TALENTS SUR VOS FILLES, C'EST VOUS QUI PARLEREZ, VIEUX FOU.

CONFIE-TOI À MOI, MON ENFANT, TOUT CE QUI PEUT NUIRE À ECKMÜL M'INTÉRESSE!

39

41

42

TIENS BON MON LANFEUST! SURVIS JUSQU'À LA NUIT, ET MON POUVOIR TE SAUVERA!

C'I...! C'I...! C'IAN!...!

BATS-TOI, PETIT BOUT D'HOMME!

TU N'AS RIEN À TE REPROCHER, CIXI. THANOS AVAIT RAISON : SI TU N'AVAIS PAS PARLÉ, IL S'EN SERAIT PRIS À TOI OU À TA SŒUR, ET J'AURAIS CÉDÉ.

NOUS NE POUVIONS RIEN FAIRE.

SNIF!...

IL EST PARFOIS DES HEURES LONGUES COMME DES QUEUES DE DRAGONS...

JE VAIS JETER UN COUP D'ŒIL AUX PRISONNIERS.

DES JOURS OÙ LE SOLEIL N'EN FINIT PLUS DE REDESCENDRE VERS L'HORIZON...

IL RESPIRE TOUJOURS?

DE PLUS EN PLUS FAIBLEMENT.

ALORS, ILS SONT SAGES?

LE GARÇON N'EN A PLUS POUR LONGTEMPS.

PRÉPARE UN FEU, LA NUIT VA TOMBER.

LE CRÉPUSCULE! LE POUVOIR AFFLUE!

MILLE GRIMOIRES! ENFIN!!

PUISQUE TU DOIS LUI REDONNER DES YEUX, TU SAURAIS LES FAIRE VERT? J'AIME BIEN.

JE PRÉFÈRE LE GRIS.

41

43

HO MON LANFEUST!

OUIIIII!

HE!

BZ!

COMMENT TU TE SENS ?

ESSAYEZ, VOUS VERREZ.

ET THANOS ? OÙ EST-IL ?

IL SAIT POUR L'ÉPÉE. IL EST DÉJÀ DANS LES BARONNIES. SON POUVOIR LE TRANSPORTE OÙ IL LE DÉSIRE.

NOUS DEVONS RETROUVER LE CHEVALIER AVANT LUI! ABSOLUMENT!

SORS-MOI DÉJÀ DE CETTE CAGE !

À CELLE-CI!

NON. LÀ HAUT, ILS SONT NOMBREUX ET ARMÉS.

ET IL Y EN A UN QUI PROVOQUE DES DÉMANGEAISONS À RENDRE FOU LE PLUS ENDURCI DES TROLLS!

GRAT GRAT

LA SEULE AUTRE ISSUE EST CETTE CHEMINÉE MAIS ELLE EST BIEN TROP HAUTE.

HÉBUS! À QUELLE HAUTEUR SAURAIS-TU LANCER UN HOMME ?

44

BROAF! AU MOINS JUSQU'À LA PREMIÈRE DES TROIS LUNES!

ALORS VISE BIEN, JE NE TIENS PAS À CE QUE TU M'ÉCRASES CONTRE LE PLAFOND!

ATTENDEZ! VOUS ÊTES FOUS!

À LA UNE,,, À LA DEUZE,,, À LA,,,

TROIZE!

EHHH!!

KATCH

VOUS VOYEZ! C'ÉTAIT FASTOCHE!

ATTENTION EN DESSOUS!

FESHHHH

HOU! C'EST ENCORE BRÛLANT!

43

ACCROCHE LA CHAÎNE SOLIDEMENT! IL FAUT QU'ELLE SUPPORTE MON POIDS!

SI TU TE GOINFRAIS UN PEU MOINS,,,

LES NUITS OÙ BRILLENT LES TROIS LUNES DE TROY, LES OMBRES PRENNENT UN ASPECT INQUIÉTANT. MÊME SUR LES ÎLES DÉSERTES, ON SEMBLE VOIR COURIR DES FANTÔMES...

NOUS N'ALLONS PAS DIRECTEMENT AU BATEAU?

IL EST TROP GRAND, IL NOUS FAUT UN ÉQUIPAGE. J'AI UN PLAN. HÉBUS, TU VAS FAIRE ÉCROULER UNE FALAISE!

QUOI ?!?

TU FAIS ROULER CES ROCHERS, ET UN BEL ÉBOULEMENT VA OBSTRUER L'ENTRÉE DU REPAIRE DES PIRATES.

AH! JUSTE CES GRAVILLONS! ÇA VA.

ET COMMENT ON RÉCUPÈRE NOTRE ÉQUIPAGE?

ILS PENSERONT À LA CHEMINÉE DES GEÔLES ET TROUVERONT LA CHAÎNE.

HIILSSE!

S'ILS NE VEULENT PAS SORTIR... J'AI REMARQUÉ DE NOMBREUX NIDS DE FRELONS DANS LES ARBRES!

RAHAAAA!!

ÉH! QU'EST-CE QUE C'EST QUE ÇA ?!?

UN TREMBLEMENT DE TERRE!

BROLOMBROOLOROMBRRMR

LA CHEMINÉE DES GEÔLES! C'EST LA SEULE ISSUE!

LES PRISONNIERS! ÉVADÉS!!

DES FRELONS! C'EST UN PIÈGE!!

46

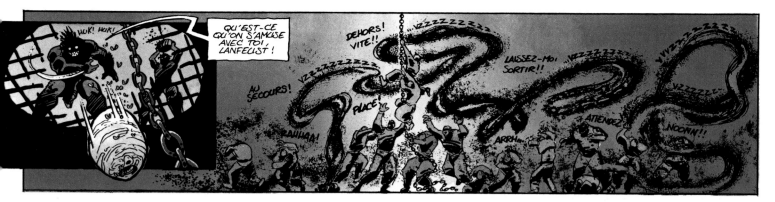

LE SOLEIL SE LÈVE, NOUS ALLONS POUVOIR APPAREILLER! EN ROUTE POUR LES BARONNIES!

ÉQUIPAGE AUX POSTES DE MANOEUVRE!!

À LA PREMIÈRE JOURNOISERIE, JE VOUS TUE ET JE VOUS DÉVORE. ET MAINTENANT...

TU CROIS QUE NOUS AURONS UN JOUR NOTRE MAISON À GLININ, ET QUE NOUS VIVRONS PAISIBLEMENT, LANFEUST?

VOUS ME FEREZ UNE HORDE DE BEAUX PETITS-ENFANTS!

BIEN SÛR MA CHÉRIE.

ET PLUS VITE QUE ÇA!

QUAND J'ENTENDS DES NIAISERIES PAREILLES, ÇA ME DÉPRIME! BÊÊH!

LE SEUL MOMENT INTÉRESSANT AVEC LES ENFANTS, ÇA SE PASSE NEUF MOIS AVANT LEUR NAISSANCE!

UNE FOIS L'ÉPÉE HORS DE PORTÉE DE THANOS, NOUS SERONS TRANQUILLES.

C'EST LOIN LES BARONNIES?

EN BATEAU, DEUX SEMAINES. À LA NAGE, CINQ MOIS.

FIN
PROCHAIN ÉPISODE:
CASTEL OR-AZUR
SCENARIO: ARLESTON
DESSINS: TARQUIN
COULEURS: LENCOT